Über dieses Buch »In diesen Gedichten geht es nicht um irgendwelche verschwiegenen inneren oder ästhetischen Geheimnisse, sondern um öffentliche Dinge und um die kritische Auseinandersetzung mit ihnen im sprachlichen Medium. Frieds *denkende Dichtung* ist nicht nur eine *Dichtung für Erwachsene*, sondern sie enthält auch notwendige Sprachstücke für neue deutsche Lesebücher. Sie sind für den Gebrauch bestimmt und nicht zur Andacht, sie sind geschrieben für Zweifelnde und nicht für Gläubige, für den Widerspruch und nicht für die Affirmation.« DIE ZEIT

Der Autor Erich Fried wurde 1921 in Wien geboren und starb 1988 in Baden-Baden. 1938 floh er nach der Besetzung Österreichs nach England und lebte seitdem in London, zunächst als Hilfsarbeiter, später als Mitarbeiter der BBC und seit 1968 als freier Schriftsteller und Übersetzer. Er veröffentlichte Gedichtbände, Romane und Essays sowie Übersetzungen aus dem Englischen, u. a. Shakespeare-Neuübersetzungen, aus dem Hebräischen und Griechischen. Für seine Gedichte erhielt Erich Fried 1977/78 den ›Prix International des Editeurs‹ und 1987 den Georg-Büchner-Preis der Deutschen Akademie für Sprache und Dichtung, Darmstadt
Bücher von Erich Fried im Fischer Taschenbuch Verlag: ›Warngedichte‹ (Bd. 2225), ›Befreiung von der Flucht. Gedichte und Gegengedichte‹ (Bd. 5864), ›Reich der Steine. Zyklische Gedichte‹ (Band 5959), ›Ein Soldat und ein Mädchen‹. Roman (Bd. 5432), ›Frühe Gedichte‹ (Bd. 9511), ›Anfechtungen. Gedichte‹ (Bd. 10343).

Erich Fried
Die Freiheit
den Mund aufzumachen
Gedichte

Fischer
Taschenbuch
Verlag

Ungekürzte Ausgabe
Veröffentlicht im Fischer Taschenbuch Verlag GmbH
Frankfurt am Main, Mai 1991

Lizenzausgabe mit freundlicher Genehmigung des
Verlags Klaus Wagenbach GmbH, Berlin
© 1972 Verlag Klaus Wagenbach, Berlin
Umschlagentwurf: Buchholz / Hinsch / Hensinger
Umschlagabbildung: A. R. Penck ›Weltbild‹, 1961
© Galerie Michael Werner, Köln
Druck und Bindung: Clausen & Bosse, Leck
Printed in Germany
ISBN 3-596-10344-4

Die Freiheit
den Mund aufzumachen

Inhalt

Fabeln und Ungeheuer

Ansichten

Berichte

Kindheitserinnerung

Wien, Brigittenau 1930

Ihr Arschlöcher ihr
schrien die Jungen oben
vom Grashang des Ufers
den Männern unten zu
die die Apfelkähne vertäuten
für die Marktstände bei der Brücke
Ihr Arschlöcher ihr
ihr gehörts alle erschlagen

Wenn sie lang genug schrien
warfen die Männer
wütend mit Äpfeln nach ihnen
die konnten sie dann
einsammeln und
davonlaufen
reich an Beute

Wenn sie zuwenig schimpften
bekamen sie keine Äpfel
Wenn sie zu habgierig waren
und mit dem Sammeln im Gras
Zeit verloren
geschah es daß einer der Männer
einen von ihnen packte
und blutigschlug

Dr. Spock in Blackheath

Der amerikanische Kinderarzt Benjamin Spock
Gegner des Vietnamkrieges seiner Regierung
sagte in einer Ansprache in einer Londoner Kirche:
»Die *Weathermen*
eine Art Stadtguerilla
die mit Bombenanschlägen auf Firmen die Bomben herstellen
hervorgetreten sind und mit Brandstiftungen
gegen Erzeuger von Napalm
sind die Extremsten
und ich finde ihre Aktionen falsch

Ich bitte Sie aber meine Damen und Herren
dieses mein Urteil nur mit Vorsicht entgegenzunehmen
Ich habe mich nämlich gefragt ob ich denn überhaupt
den Mut hätte das zu tun was die *Weathermen* tun
Und ich bin zum Ergebnis gekommen:
ich würde das niemals wagen
Ich habe nur gerade Mut genug das zu tun
was ich gegen den Krieg in Vietnam zu tun versuche

Deshalb meine Damen und Herren bitte ich Sie um Vorsicht
was mein Urteil über diese Anarchisten betrifft
denn ich habe in meinem langen Leben noch immer
festgestellt: Wenn einer sich nicht traut
eine Sache zu tun dann findet er Argumente
die beweisen es wäre auch ganz und gar falsch das zu tun
Und doch meine Damen und Herren
trotz dem was ich gegen mich sage
halte ich die Aktionen der *Weathermen* nicht für die Lösung«

Die Wiederkunft

(Attica State Prison, New York, USA)

Neun Monate lang
bevor Staatspolizei kam und schoß
sagten Gefängnisärzte
in der Strafanstalt
Attica

zu kranken
Puertoricanern
die nur Spanisch verstanden:
»Lern erst Englisch
dann darfst du wiederkommen«

Es ist schwer
Englisch zu lernen
wenn man tot ist
Aber wiederkommen
werden sie sicher

Aufhellung dunkler Punkte

Amerikanische Militärgerichte
haben die ausführenden Offiziere von My Lai
freigesprochen
von der Anklage des Gemetzels

Der Oberrichter Lord Widgery aus London
hat befunden die englischen Fallschirmjäger in Irland
haben am Blutigen Sonntag
nur ihre Pflicht getan

Ermittlungen der Westberliner Behörden
über den Tod des verhafteten Georg von Rauch zeigen deutlich
die Polizei schoß mit Recht
schließlich ging es um Baader-Meinhof

Hätte man nach 1945 die Klärung
der Vorkommnisse bei der Judenumsiedlung in Auschwitz
der SS überlassen so wären uns Fotos und Filme
Statistiken und Berichte erspart geblieben

Vereinzelte Härten
hätten sich da und dort zwar gefunden
doch im Ganzen nur Pflichterfüllung
und nirgends ein Blutbad

Der Tribunalbericht des
britischen Innenministeriums

8. Januar 1971

Der Tribunalbericht über Rudi Dutschke
ist nicht gehässig und verleumdet nicht unbedenklich
Es fehlt nicht an Sätzen die Anerkennung verraten
Auch wo die Wahrheit verfälscht wird handelt es sich
keineswegs einfach um freie Erfindung
einer bösartigen Phantasie oder krankhafter Lügner

Nein meist werden nur ein zwei Akzente verschoben
oder etwas fehlt und einige Zeilen nachher
oder zuvor ist wie zum Ersatz dafür
eine allgemeine Betrachtung des Tribunals eingeflochten
die wirklich ein Licht auf den Fall wirft
wenn auch ein falsches

Und das Opfer dieses ganzen Vorgangs wird nirgends
beschimpft oder hemmungslos angeschwärzt und die gemeinen
Verdächtigungen die gegen Rudi Dutschke
– ermutigt durch die Berufung des Innenministers
auf Gefährdung der Sicherheit der Nation –
im Fernsehen und in der Presse geäußert wurden
werden vom Tribunalbericht widerlegt oder gar
keiner Erwähnung gewürdigt
Abschließend könnte man sagen:

Das Unrecht das Rudi Dutschke hier zugefügt wird ist nur
das absolute Existenzminimum des Unrechts
ohne welches des Unrecht schwerer gefährdet wäre
als vielen Verantwortlichen vertretbar erscheint

Also noch nicht das Ende der englischen Demokratie
nur ein kleiner Schritt näher zu diesem Ende
und auf jeden Fall eine undankbare Aufgabe
denn aus der Sicht des Unrechts
ist dieser Bericht fast so peinlich
und unbefriedigend wie aus der Sicht der Gerechtigkeit

Die Säue von Gadara

(Evangelium des Markus, 5)

»Zu Menschen sind wir menschlich
zu einer Sau eine Sau
wenn es sein muß sogar eine Wildsau«

Dieses Wort eines Sprechers der Polizei
nach der Verhaftung und Mißhandlung Ulrike Meinhofs
macht zwar keine sachlichen Angaben zu der Frage
wie mit Ulrike Meinhof verfahren wurde
von Polizeibeamten
deren Name auch nicht *Legion* ist

Aber es ist besessen vom Grundgedanken
»Wer ein Mensch ist und wer eine Sau
das entscheidet die Polizei«

Deutsche Volksfahndung 1972

Ein ganzes Volk
soll Polizeidienste leisten
unbezahlt
aber nicht unbelohnt
Der Präsident des Bundeskriminalamts
Dr. Horst Herold
nennt das »unsere
Volksfahndung«
Was kündigt er an
mit so einem
klangvollen
Wort?

Wenn das Wort
Volksfahndung
nicht
von Horst Herold stammte
von wem
könnte es stammen?
aus welcher Kulturepoche?
was bedeutet der Klang
eines solchen Wortes?
ist es ein reiner
oder ein unreiner
Zufall?

Rechtsdiener und linke Anwälte

Die Anwälte sind
Anwälte der Angeklagten
und den Bundes- und Staatsanwälten
schon dadurch verdächtig

Gegebenenfalls
könnte man einen von ihnen
einsperren lassen oder vielleicht auch nur
seines Berufes berauben als warnendes Beispiel

Am besten wäre es
die Verteidigung ganz abzuschaffen
und nach der Einführung
der Volksfahndung auf die Staatsfeinde

nun auch Nachrichter zu verpflichten
und statt der Gerichte wieder
ein Volksgericht einzusetzen
das kurzen Prozeß machen würde

Nachrichter war ein bis ins Dritte Reich gebräuchlicher Ausdruck für Scharfrichter.

Die verirrten Genossen

Zwar soll Lenin gesagt haben:
»Nur wer nichts tut macht keine Fehler«
doch das ist lange her
und die Rechten darf man nicht reizen
Drum kein Erbarmen mehr
mit den verirrten Genossen
und mit jenen Genossen die sich
der verirrten Genossen erbarmten

Doch verdienen auch sie guten Rat:
Die noch frei herumgehen dürfen
beginnen jetzt die hinter Gittern
laut zu belehren
man müsse geduldig sein
und man dürfe Irrlichter niemals
mit Fanalen verwechseln
Das stimmt ja auch ganz gewiß

Und gewiß hält auch jeder fest
an der eigenen richtigen Linie
und wundert sich höchstens
wenn die Reihe an ihn kommt
Doch er weiß dann wer schuld daran ist:
die verirrten Genossen
die ihn schädigen wollten
mit ihrem sinnlosen Kampf

Judenfragen

Das leise Lachen
der alten chassidischen Frager
in welcher Betonkammer hat es geendet
in welchem Husten
mit welchen Kristallen
aus welchen Büchsen der Degesch

Und die klugen Witze
mit dem traurigen Achselzucken
(sorgfältig aufbewahrt
von Philosemiten)
wem sind sie zugeteilt worden
zur Wiedergutmachung

Denen die schreien: Uns! Uns!
denen die spielen
Verkehrte Welt und arabische Landeskinder
im Judenland zu Juden der Juden machen
und lachen über sie
und nicht über sich

Degesch: ›Deutsche Gesellschaft für Schädlingsbekämpfung‹, Hersteller von
Zyklon B für die Gaskammern in den Konzentrationslagern.

Tel Aviv Hilton

Das neue Hilton Hotel
ist eröffnet worden
weithin sichtbar
in ausgezeichneter Lage
auf dem Boden
eines arabischen Friedhofs

Schlaft
Zions Gäste
schlaft ruhig
über geschändeten Gräbern

Der Räumpflug
der Steine und Erde und Knochen zerbrach
hat lauter geschnarcht
als ihr schnarcht bis zum Jüngsten Tag
Ihr werdet keinen mehr aufwecken
Laßt euch nichts träumen

Bürokraten und Finanziers in Israel und in Jordanien haben Friedhöfe
zerstört. In Husseins Jordanien wurde ein Zehntel des alten jüdischen
Friedhofes auf dem Ölberg in Jerusalem zerstört, um eine Zufahrtstraße
zum neuen Internationalen Hotel zu bauen. In Tel Aviv wurde der alte
arabische Friedhof, nach islamischer Sitte ein offener Garten für alle und
seit Jahrzehnten Treffpunkt auch jüdischer Liebespaare, völlig vernichtet.
Auf seinem Grund wurden das Hilton Hotel und das Sheraton Hotel
gebaut.

Die Freiheit den Mund aufzumachen

Die Freiheit den Mund aufzumachen
besteht auch dort
wo andere schreien:
Denen wird der Mund zugemacht!

Im Gegenteil
Man muß nur eine Liste anlegen
was alles herauskommt
aus Mündern die angeblich zu sind

Erstens Schreie
zweitens am Anfang und
ganz am Ende
vielleicht sogar noch Proteste

Drittens Zähne
und viertens Blut und fünftens
Erbrochenes
und sechstens in vielen Fällen

Flüssigkeiten
die vorher eingeflößt wurden
durch Schläuche oder
durch Untertauchen des Kopfes

Man darf das nicht einseitig sehen
denn die Freiheit den Mund aufzumachen
ist gleiches Recht für alle
zum Beispiel auch für die Behörden

den verbissenen Mund
des Gefangenen aufzumachen
Was kommt dann hinein?
Viel Wasser oder viel Öl

oder Stiefelabsätze
oder Kot und blutige Lappen
oder Urin
oder Sägemehl oder Erde

und heraus kommt dabei
wenn es gut geht
das freiwillige
Geständnis

Der Mund wird manchmal verletzt
nie die Freiheit den Mund aufzumachen
sie herrscht immer noch – so oder so –
in allen unseren Ländern

Ende einer Kulturepoche

Der Lagerkommandant
ein gebildeter Mann
hatte sein Geständnis
ins reine geschrieben
einige Formulierungen
verbessert
und da und dort
einen Scherz eingefügt

Aber sie lachten nicht
und er sagte am Ende
Nun kommen schlechte Zeiten
für den Humor

$$p^2$$

Neue Naturdichtung

Er weiß daß es eintönig wäre
nur immer Gedichte zu machen
über die Widersprüche dieser Gesellschaft
und daß er lieber über die Tannen am Morgen
schreiben sollte
Daher fällt ihm bald ein Gedicht ein
über den nötigen Themenwechsel und über
seinen Vorsatz
von den Tannen am Morgen zu schreiben

Aber sogar wenn er wirklich früh genug aufsteht
und sich hinausfahren läßt zu den Tannen am Morgen
fällt ihm dann etwas ein zu ihrem Anblick und Duft?
Oder ertappt er sich auf der Fahrt bei dem Einfall:
Wenn wir hinauskommen
sind sie vielleicht schon gefällt
und liegen astlos auf dem zerklüfteten Sandgrund
zwischen Sägemehl Spänen und abgefallenen Nadeln
weil irgendein Spekulant den Boden gekauft hat

Das wäre zwar traurig
doch der Harzgeruch wäre dann stärker
und das Morgenlicht auf den gelben gesägten Stümpfen
wäre dann heller weil keine Baumkrone mehr
der Sonne im Weg stünde. Das
wäre ein neuer Eindruck
selbsterlebt und sicher mehr als genug
für ein Gedicht
das diese Gesellschaft anklagt

Lyrischer Winter

Auch hier im nassen Gras
zwischen den besseren Häusern
wo das weißliche Grau vielleicht schon Rauhreif ist
oder noch Nebel
und Pilzgeruch die Pilze überdauert
im Moder unter den Farnen
auch hier ist Natur und daher auch
Nahrung für Dichter
die wächst bei den Pilzen nach denen sie riecht und ist
genießbar oder doch
je nach dem Kochrezept
nicht giftiger als ihr's gewohnt seid
Drum kommt und grast hier

Kommt und äset im Grünen
im Wintergras
ach ihr Edlern
die ihr euch fernehieltet den mittelgroßen Gefühlen
gegen teure Kriege
die billig zu haben sind

Seid weise ihr Klugen
Selbst den goldenen Mittelweg
dem ihr die Treue bewahrt habt
und der euch von seinem Gold gibt
verlaßt nun (er läuft euch nicht fort)
Kommt: das Gras sei euch teuer

Hier könnt ihr eure Natur haben! Hier genießt ihr
die Vorzüge aller Nachzügler die da glauben
sie selber sinds die sich zügeln
Kommt: Es ist höchste Zeit! Hier gewinnt ihr wieder
die alte Kraft: Hier seht ihr die Blätter fallen
nicht den Verdacht. Hier erwacht ihr
aus der Betäubung vor der selbst die angeblich freie
Wahl der Taubheit euch Meister des Überwinterns
nur ungenügend geschützt hat

Hier könnt ihr das Gras wachsen hören
oder es welken sehen und könnt den Wind treten
oder betreten in den spröden Leib der Natur
windige Eier legen

Was bleibt geht stiften

Eigentlich keine Art

Eigenartig
wie das Wort eigenartig
es fast als fremdartig hinstellt
eine eigene Art zu haben

Sprachlos

Warum schreibst du
noch immer
Gedichte
obwohl du
mit dieser Methode
immer nur
Minderheiten erreichst

fragen mich Freunde
ungeduldig darüber
daß sie mit ihren Methoden
immer nur
Minderheiten erreichen

und ich weiß
keine Antwort
für sie

Lernprozeß

Ich bin nichts
ich bin der letzte Niemand
in unserer Revolution
rief begeistert
ein Künstler

Sie sprachen ihm nach
Du bist nichts
du bist der letzte Niemand
in unserer Revolution
Da war er enttäuscht

Die mit der Sprache

Ich beneide die mit der großen Sprache
die reden von den Leuten
als ob es die Leute gäbe
sie reden vom Vaterland
als ob es ein Vaterland gäbe
und von Liebe und von Tapferkeit und von Feigheit
als gäbe es alle drei
Tapferkeit Feigheit Liebe
und sie reden vom Schicksal
als ob es ein Schicksal gäbe

Und ich bestaune die mit der scharfen Sprache
die reden von den Leuten
als ob es sie gar nicht gäbe
und vom Vaterland
als ob es kein Vaterland gäbe
und von Liebe und von Tapferkeit und von Feigheit
als wäre es klar
daß es das alles nicht gibt
und sie reden vom Schicksal
als ob es kein Schicksal gäbe

Und manchmal weiß ich nicht
wen ich beneide und wen ich bestaune
als gäbe es nur Staunen und keinen Neid
oder als gäbe es nur Neid und kein Staunen
als gäbe es nur Größe aber nicht Schärfe
oder als gäbe es nur Schärfe und keine Größe
und ich weiß dann nicht ob es
etwas gibt wie Reden und Wissen
oder wie Geben und mich
nur daß es so nicht geht

Not kennt kein Gebot

Heute haben wir leider
für Feinheiten
keine Zeit

sagte einer
den ich schon vor Jahren
als Grobian kannte

Beim Wiederlesen eines Gedichtes
von Paul Celan

»es sind
noch Lieder zu singen jenseits
der Menschen«

Lesend
von deinem Tod her
die trächtigen Zeilen
wieder verknüpft
in deine deutlichen Knoten
trinkend die bitteren Bilder
anstoßend
schmerzhaft wie damals
an den furchtbaren Irrtum
in deinem Gedicht das sie lobten
den weithin ausladenden
einladenden
ins Nichts

Lieder
gewiß
auch jenseits
unseres Sterbens
Lieder der Zukunft
jenseits der Unzeit in die wir
alle verstrickt sind
Ein Singen jenseits
des für uns Denkbaren
Weit

Doch nicht ein einziges Lied
jenseits der Menschen

Regelmäßiges Zeitsignal

(ein Gedicht zum Lautlesen)

GICKS!

ruhig waren die nördlichen abende
im juni, sorglos schlug die messinguhr
auf den inseln, leicht ging ein helles gelächter,
leicht gingen kleine schreie, leicht
ging eine junimusik ...

GICKS!

... warum ich nicht? Warum dieser Lärm, diese Stimmen?
Ich bitte Sie, Bollin: Nur Ihre Schaufel will ich hören,
den guten märkischen Sand, vielleicht dann und wann
einen Vogel und den Wind in den Kiefern.

GICKS!

dich sang er
demokratie
& riet euch zu wählen
na wen wohl
setzte den hahn aufs plakat
(keinen roten versteht sich)
& ließ ihn mist über mist krähn

GICKS!

Sie kriechen eigentlich zwischen Requisiten umher,
die längst amortisiert sind und ihnen ihr Dasein
nur als Almosen gewähren, indem sie über
die eigene Lebensdauer hinaus fortexistieren.

GICKS!

Einer nimmt uns das Denken ab
Es genügt
seine Schriften zu lesen
und manchmal dabei zu nicken
Einer nimmt uns das Fühlen ab
Seine Gedichte
erhalten Preise
und werden häufig zitiert

GICKS!

Die Unterbrechungen zwischen den Gicksern
stammen von Hans Magnus Enzensberger Günter Grass
Yaak Karsunke Theodor W. Adorno Erich Fried
und dauern je fünfzehn Sekunden. Alle fünfzehn Sekunden
verhungert in Lateinamerika ein Kind.

GICKS!

Engagiertes Gedicht

Ich erinnere mich
an meinen Zorn
und an meine Suche
nach den richtigen Worten
für meinen Zorn
an die letzte Verbesserung
vor der Reinschrift
an mein Lautlesen für mich allein
und zuletzt an meine
Zufriedenheit
die meinen Zorn aufhob

Und ich darf vergessen
wie ich vergebens tappte
nach den weißen Blättern
und Angst hatte
weil meine Finger
unbeholfener werden
und weil mir das Kohlepapier
zu Boden fiel
vor der Reinschrift
und mir schwindelte
als ich es aufhob

Fabeln und Ungeheuer

Der Übelnehmer

Der Übelnehmer
das ist der Mann
der das Übel
von Berufs wegen
nimmt
und wegträgt
und uns von ihm erlöst

Eine nützliche Arbeit
Aber wie er es angreift
das Übel
wie er es abschleppt
wobei es überschwappt
und das Gemeinwohl besudelt
davon wird mir übel

Die wichtige Funktion

Zum Selbstverständnis der Scheiße
gehört die Ersetzung
des Wortes »Scheiße«
durch »wichtige Funktion«

Ein Scheißer ist demnach
ein wichtiger Funktionär
Ein wichtiger Funktionär
war demnach ein Scheißer

Die wichtige Funktion
besitzt ihre Eigendynamik
Die wichtige Funktion
bemüht sich um Störungsfreiheit

Die wichtige Funktion
sucht in gutem Geruch zu stehen
und die zu bekämpfen
welche sie anrüchig nennen

Die wichtige Funktion
sucht übereinzukommen
mit anderen Funktionen
und diese zu integrieren

Die wichtige Funktion
ist die Zukunft jeder Ernährung
die Fortsetzung des Essens
mit anderen Mitteln

Die wichtige Funktion
ist immer bereit
Wo sie auftritt besitzt sie schon das
was ihr Wesen ausmacht

Umweltverschmutzung

Wenn den Arbeitern
das Maul gestopft
oder der Kopf verdreht ist
kommt der Abfall
der Dreck aller Länder
und predigt
den Sozialismus

Der Dreck hat von überall Zustrom
er geht feste Verbindungen ein
er beherrscht alle Städte
und Industriegebiete
wie das die Arbeiter könnten
wenn sie nur wollten

Wenn der Dreck
den Sozialismus
sowenig durchsetzt
wie die Arbeiter
die noch immer
hoffnungsvoll
in ihm verharren

dann sorgt er dafür
daß diese
geduldigen Arbeitnehmer
samt ihren Arbeitgebern
die ihn herstellen lassen
an ihm ersticken

Die Revolution in der Mathematik

Die Aufgabe
der Mathematik
wird neu definiert:

Auf eine Autobahn
die zu diesem Zweck
gesperrt wurde für den Verkehr
werden Primzahlen aufgeschrieben
ihr Abstand entspricht ihrem Abstand
in der Reihe der ganzen Zahlen

Die Mathematiker haben
von einer zur andern zu gehen
in so vielen Schritten
wie Zahlen dazwischen liegen
und immer wenn sie auf eine Primzahl treten
diese laut auszurufen
in ihren verschiedenen Sprachen

Jede Beschäftigung
mit Rechnen oder mit Zahlen
die über diese Bestätigung hinausgeht
wird *unmathematisch* genannt
Laiengestümper
Musik oder *Ideologie*
oder *Zahlenmystik*

Der Band *Die Revolution in der Mathematik*
erklärt die Vorteile dieses neuen Weges
der dank dem Verzicht auf fragwürdiges Spekulieren
Sicherheit und Übereinstimmung garantiere
und nicht verwendbar sei
zu irreführenden Zwecken

Die Freiheit der Wissenschaft
bleibe dabei gewahrt
Neben denen etwa die sagen
eine Primzahl ist eine Primzahl
und immer schon als Primzahl vorhanden gewesen
sei auch Platz für die
die behaupten die Primzahlen sind
von Gott erschaffen zugleich mit dem Zehnersystem

In diesem Band
wird auch linguistisch belegt
was *aufgeben* in der Umgangssprache bedeutet
und so der Nachweis erbracht
daß erst diese Revolution
den Weg bahnt zur eigentlichen
Aufgabe der Mathematik

Das Gedicht bezieht sich u. a. auf das Buch *The Revolution in Philosophy,*
London 1956

Markttag auf Kreta

Der Sklavenhändler hatte
eine Schwäche für Freiheit
im Rahmen des wirtschaftlich Denkbaren
und war fast immer

voll Wohlwollen gegen die Leute
die er in Bausch und Bogen
von seinen Seeräubern kaufte
und denen er sagte:

»Ihr und ich
wir ziehen an e i n e m Strick
Ohne einander
könnten wir alle nicht leben

denn die Seeräuber hätten
euch einfach ins Meer geschmissen
wenn es nicht Männer
meines Gewerbes gäbe

Ich aber habe im Grund
wieder euch zu danken
für meinen einträglichen
gemeinnützigen Beruf

Drum helft mir und euch selbst
und sagt mir aus freien Stücken
was ihr könnt
und an wen ihr verkauft werden wollt

Jeder nach seinen Fähigkeiten!
So kriegt ihr
die besten Herren und ich
die besten Preise für euch«

Diogenes
der auf der Fahrt nach Aegina
in die Hand der Piraten gefallen war
gab zur Antwort:

»Mein Wohltäter
ich kenne kein Gewerbe
außer dem einen
über Menschen zu herrschen

Drum verkaufe mich an einen Mann
der einen Gebieter braucht
Keine Angst
So einen wirst du schon finden«

Der Sklavenhändler
ermutigt durch diese Worte
dankte Diogenes
und verkaufte ihn

an Xeniades den Korinther
der wirklich einen
Gebieter brauchte
nämlich für seine zwei Söhne

Denen brachte Diogenes bei
wie nichtig Reichtum und Rang sind
und wie gut Sklaverei sich verträgt
mit der inneren Freiheit

Marienlegende

Wer ohne Sünde ist
werfe den ersten Stein
hatte Jesus gesagt
und alles blickte zu Boden

Nur eine kleine zähe
Frau in den besten Jahren
bückte sich wütend
und nahm einen Stein und warf ihn

Nach der Steinigung
als alles zurück in die Stadt ging
sagte Jesus zu ihr:
Mutter du kotzt mich an

Denken unter unannehmbaren Umständen

Angenommen
der Staub mit den Knochensplittern
könnte reden und sagte:
Nimm an
ich hätte die letzten Minuten
als schon das Gas kam
und als das Schreien der Kinder
im Husten und im Erbrechen aufhörte
noch benutzt
um die präzise
Formulierung dafür zu finden
die keiner mehr hört

und nimm zuletzt noch an
auch du kannst mich Staub mit den Knochensplittern
nicht hören
nicht meine Formulierung
ja nicht einmal
meine Einladung zur Annahme
ich hätte diese
letzten Minuten
zur Erarbeitung der Formulierung
erfolgreich benutzt

dann weißt du
wie unnütz das Formulieren
unter Umständen ist
die einem alles abnehmen
auch diese Annahme
daß der Staub reden kann

Im Lande der begrenzten Möglichkeiten

Als aber der Präsident
getreu seiner Drohung
die Glacéhandschuhe auszog
wurden viele Studenten
grün im Gesicht
und drehten sich weg
und kotzten

Sie hatten
eigentlich
immer noch
Hände erwartet

Amerikanischer Tourist in Tijuana

>»it was (you may say) satisfactory«
>ELIOT, *Journey of the Magi*

Hundert Dollar für einen Sitz in der zweiten Reihe
Dafür hätte ich den Präsidenten im Weißen Haus
                              sehen können
Aber nein, nur in diesem stinkenden mexikanischen Puff
um aus nächster Nähe einer Kastration beizuwohnen

Es war, kann man sagen, zufriedenstellend. Das Blut
spritzte nur so. Der Kerl war natürlich gefesselt
und brüllsicher geknebelt. Aber sein Zucken war gar nicht
so ohne, und auch nicht dieses halberstickte Gekrächz

Dann, als er ohnmächtig war, ging das Glied mit den
                              Hoden reihum
auf dem Teller. Ich habe es selbst berührt: noch ganz warm
wie der Bauch meines Meerschweinchens als ich noch
                              klein war
das ich mit einem Nagel geschlachtet hatte

Von den Weibern im Zuschauerraum – und dazu rechne ich
auch die Schwulen im Minirock – haben welche vom
                              Blut geschlabbert
Aber für mich ist das nichts. Das läßt mich kalt. Immerhin
hundert Dollar war das schon wert: das erlebt man
                              nicht alle Tage

Nur jetzt vorige Woche habe ich in dem gleichen Lokal
in einer stinknormalen Show mit einem Geschäftsfreund
denselben Kerl gesehen wie er drei Kinder fickte
Also war das damals wieder ein glatter Betrug

Siehe Anmerkung auf Seite 68

49

Antike Großstadtschnauze

(nach Sueton)

Wie schön! wie schön!
Ein wahres Glück für die Kinder!
Schade daß nicht schon sein Vater
so eine Frau nahm!
riefen die Römer
bei Neros Hochzeitszug

Neros Braut
war ein Knabe
aber um Sitte und Anstand
nicht zu verletzen
kurz vor der Hochzeit
entmannt

Warnung vor Kinderkrankheiten

In den ersten Jahren
des Aufbaus
herrscht noch
zuweilen
bedauerliche Knappheit
an Luxusgütern

Vorsicht:
Was dann im Konsum
als echtes Wolfsfell
verkauft wird
waren unsere schwarzen Schafe
nur täuschend zurechtgemacht

Utopie der Utopie

Der Schwäche abgerungene
werdende Kraft
des Ungewordenen
das die die mit aller Kraft
an ihm festhalten
wieder
ihre Schwäche erkennen läßt
gegenüber dem
mittlerweile zu Kräften gelangten
schlechten Gewordenen
das keine Schwäche mehr hat
für die Wiedererweckung
der Anziehungskraft
des guten
Ungewordenen
und keine Stärke mehr hat
besser zu werden
außer
indem seine Abstoßungskraft
wieder Kraft gibt zu tun
was zu wenige tun
für das noch immer
ungewordene
Gute

Die Herumgekommenen

Die Laute der fernen Küsten in ihren Ohren
sind nur Hafengeschrei
und Rasseln von Ankerketten
Schüttern von Zügen
Anfahren schwerer Loren
das Kreischen geschlagener Weiber
und das Röhren
der Schiffssirenen
zur Brunstzeit der christlichen Seefahrt

Und der Geruch fremder Länder in ihren Nasen
ist Schweiß und Staub
und halbverrauchte Gewürze
und Kinderurin in feuchten Quartieren
und Fusel
und Stadtstaub nach Sommerregen
und heiße Mauern am Abend
und Lack und Schmieröl
und billiges Hurenparfum

Und was sie für die Farben der Städte halten
die ihnen Augen machten
ist nur die blinde Farbe
ihrer Armut in allen Städten
und ihr Prahlen
mit ihren weiten Reisen
heißt nur:
Wir sind weit herumgekommen
in unserem Unglück

Ein alter Mann

Als könnte das Denken gähnen
Als könnte mein Gähnen
denken Mund über Kopf
an die Zeit vor der müden Angst
    Aber die Zeit die mir noch vergönnt ist
    vergähnt
    weit aufgerissen für Särge
    denn wieder sind zwei gestorben
Einer davon der Glückspilz
den sie geliebt hat
Ich ging leer aus
Ich stand da mit offenem Mund
    Immer die Hand vorhalten
    beim Gähnen die Augen zu
    Die falschen Zähne
    schon wieder noch nicht gefunden
Ich sah ihre Zöpfe hängen
in meiner glastrüben Hand
mit der ich mir
über die Augen fahre
    Haltet mir vor:
    »Die Vergangenheit hängt an einem
    Speichelfaden beim Gähnen«
    Lacht mich nur aus
Ihr junges Gesicht
tröpfelt aus meinen Augen
am Rand der schlechteren Brille vorbei
an zwei Toten
    Immer die Hand vorhalten
    wenn Speichel tropft oder Wasser
    und keiner mehr denkt
    daß man noch denken kann

Versuch mehrere Mitwirkende
zu beschwichtigen

Daß du wichtig bist und nicht mitspielen willst
spielt keine Rolle
und daß du unwichtig bist und nicht mitspielst
spielt keine Rolle
und daß du nur dich selbst spielst und keine Rolle
spielt keine Rolle
und daß du nicht du bist und nur eine Rolle spielst
spielt keine Rolle
und daß deine Rolle zu schwer für dich ist
spielt keine Rolle
und daß das keine Rolle spielt
spielt keine Rolle
denn das Spiel ist aus und der König ist fortgegangen

Und daß der König aus seiner Rolle gefallen ist
spielt keine Rolle
und daß das Spiel in dem das Spiel aus ist gespielt wird
spielt keine Rolle
und daß der König wieder in seine Rolle fallen wird
spielt keine Rolle
und daß du wie er in deiner Rolle fallen wirst
spielt keine Rolle
und daß du nie deine richtige Rolle spielen wirst
spielt keine Rolle
und daß auch andere in ihren Rollen fallen
spielt keine Rolle
denn das Spiel in dem das Spiel aus ist ist noch nicht aus

Vorteile einer Nacktkultur

Die nackte
Angst
scheint jetzt
leichter
zu tragen

als bisher
in ihren schweren
Kleidern
die sie
verhüllten

Ansichten

Befreiung von den großen Vorbildern

Kein Geringerer
als Leonardo da Vinci
lehrt uns
»Wer immer nur Autoritäten zitiert
macht zwar von seinem Gedächtnis Gebrauch
doch nicht
von seinem Verstand«

Prägt euch das endlich ein:
Mit Leonardo
los von den Autoritäten!

Frohe Unglücksbotschaft

Zum Unglück nehmen wir immer an
daß das Glück
einfach sein muß
und das Unglück krumm und verworren

Es ist das Unglück des Unglücks
daß es uns immer
das Auge trübt und den Blick raubt
für seine zwingende Form

Einmal nur sehen
die innere Logik des Unglücks
und wir müßten
seine klassischen Züge lieben

frei von krummen
verwirrenden Vorurteilen
Das wäre geradezu
das Glück im Unglück

Zielbewußtsein

Humor haben
muß ich aus taktischen Gründen
weil ich durch tierischen Ernst
und Unvermögen zu lachen
der Sache
um die es uns geht
keine Freunde gewinnen kann

Gütig sein
muß ich aus taktischen Gründen
weil ich durch Grausamkeit
oder Gleichgültigkeit
der Sache
um die es uns geht
keine Freunde gewinnen kann

Wenn diese Erwägung
die feste Grundlage bildet
für meine Pflege
dieser nützlichen Eigenschaften
dann sieht meine Güte
so aus
wie mein Humor

Der Augenblick des Opfers

Er ist opferbereit
er steht
zu seinem Opfer

Er versteht
die Notwendigkeit
seines Opfers

Er entschließt sich
nicht mehr zu warten
mit seinem Opfer

Er überwindet die Schwäche
die ihn abhält
von seinem Opfer

Sein Opfer
reißt sich los
und läuft schreiend davon

Gewaltloser Verzicht auf Gewaltlosigkeit

Es ist falsch
auf die Steiniger
keine Steine zu werfen

Nicht zum Zeitvertreib
trieb Jesus
die Wechsler aus

Er sagte
»Ihr habt aus dem Haus
eine Mördergrube gemacht«

Aber wer wirft den ersten Stein
auf einen
der keinen Stein wirft?

Chassidische Fragen

Wird der Kaffee süß
vom Umrühren
oder vom Zucker?

VOM UMRÜHREN
Aber wozu
braucht man dann Zucker?

DAMIT MAN WEISS
WIE LANGE MAN
UMRÜHREN MUSS

Wird die Revolution
süß
von den Reaktionären?

Benennungen

Es ist schön
deutlich getäuscht zu werden

Ein Bild von Magritte

auf diesem Stein steht B R O T
auf diesem Messer steht V O G E L

Ganz einfach

du siehst und du liest
und du verstehst die Methode

und könntest lachen

Aber worauf steht hier L I E B E

und was trägt die Aufschrift
D E N O K R A T I E

Was ist das in Wirklichkeit

und warum N
statt M

Ist das Absicht oder ein Irrtum

Und dort steht L E B E N
mit einem Strich mitten durch

Kleinbürgerliche Schwäche

Mir peinlich
mich unter Genossen
manchmal
allein zu fühlen
aber verboten
ist das natürlich
nicht

Ich kenne
zwar auch
Genossen
die das verbieten möchten
Unter denen
fühle ich mich
allein

Gehör

für Rudi Dutschke

Wie müssen wir
die Ohren halten
um
im Gähnen der Niederlage
schon etwas vom Sieg zu hören?

Und wenn wir diese Haltung
gelernt haben
was
hören wir dann einmal
im Rauschen des Sieges?

Anmerkungen

Tel Aviv Hilton – In seinem Buch »Der Judenstaat« verspricht Theodor Herzl den Schutz »heiliger Stätten« in Palästina, aber nur christlicher, nicht islamischer: »Für Europa würden wir dort ein Stück des Walles gegen Asien bilden, wir würden den Vorpostendienst der Kultur gegen die Barbarei besorgen. Wir würden als neutraler Staat im Zusammenhange bleiben mit ganz Europa, das unsere Existenz garantieren müßte. Für die heiligen Stätten der Christenheit ließe sich eine völkerrechtliche Form der Exterritorialisierung finden. Wir würden die Ehrenwache um die heiligen Stätten bilden und mit unserer Existenz für die Erfüllung dieser Pflicht haften. Diese Ehrenwacht wäre das große Symbol für die Lösung der Judenfrage nach achtzehn für uns qualvollen Jahrhunderten.«

Lyrischer Winter – enthält zahlreiche Anspielungen auf Texte von Günter Grass und zwei auf Hölderlingedichte.

Amerikanischer Tourist in Tijuana – Tijuana in Mexiko, nahe der US-Grenze, von dem es heißt: »So far from God, so near to America«, ist noch mehr als andere mexikanische Grenzorte zu einer Bordellstadt für amerikanische Touristen und Geschäftsleute geworden. In Kuba wurden vor der Revolution ähnliche Vorführungen für denselben Kundenkreis veranstaltet.

Benennungen – Magritte hat einige Bilder mit irreführenden Beschriftungen, aber keines mit genau diesen gemalt. Beim Vorlesen dieses Gedichts wird es kaum möglich sein, DENOKRATIE so auszusprechen, daß die Hörer nicht ›Demokratie‹ verstehen; die Zeilen *und warum N / statt M* können daher gelesen werden: *und warum N wie New York / statt M wie München.*

Gehör – bezieht sich auf einen Satz Rudi Dutschkes, den er dem Autor während des Dutschke-Tribunals in London (siehe auch Gedicht Seite 13) auf einen Zettel schrieb und der mit den Worten begann: »Nach unserer Niederlage, die doch ein Sieg sein wird...« Das Gedicht *Gehör* ist ein Teil der Antwort, die der Autor auf den Zettel schrieb.

Erich Fried

Befreiung von der Flucht
Gedichte und Gegengedichte. Band 5864
In diesem Band kontrastiert Fried seine frühen »versponnenen
und unengagierten Gedichte« (Fried) der Nachkriegszeit mit
Gegengedichten von 1968.

Frühe Gedichte
Mit einem Vorwort des Autors. Band 9511
Die Gedichte dieser Sammlung erschienen zuerst 1944 und
1946 in London. Erich Fried schrieb damals als junger Flücht-
ling vor dem Nazi-Terror bildhafte Verse der Klage, der
Rebellion und des Mitleidens.

Reich der Steine
Zyklische Gedichte. Band 5959
Das zentrale Thema ist auch hier bereits angeschlagen: Das
Wort als Waffe gegen jegliche Verletzung der Menschlichkeit.

Ein Soldat und ein Mädchen
Roman. Band 5432
Neben Ilse Aichingers ›Die größere Hoffnung‹ ist Erich Frieds
Roman wohl das wichtigste Dokument literarischer
Geschichtsbewältigung der damals jungen, um ihre Jugend
gebrachten österreichischen Generation.

Warngedichte
Band 2225
»Frieds ›Warngedichte‹ sind Angstgedichte. Wer solche Angst
nicht kennt, solche Beklommenheit, vermag kein Dichter zu
sein in einer Welt, in der Vergangenes auf uns zukommt,
als sei es das Künftige.« DIE ZEIT

Fischer Taschenbuch Verlag

fi 384/3

Lyrik

Nisametdin Achmetow
**Die Straße
der Freiheit**
Gedichte. Band 9277

Ilse Aichinger
verschenkter Rat
Gedichte. Band 5126

Rose Ausländer
Blinder Sommer
Gedichte. Band 5199

Ich spiele noch
Band 10421

**Ich zähl die Sterne /
meiner Worte**
Gedichte 1983
Band 5906

**Im Atemhaus
wohnen**
Band 2189

**Mutterland /
Einverständnis**
Gedichte. Band 5775

**Der Traum hat
offene Augen**
*Unveröffentlichte
Gedichte 1965–1978*
Band 9172

Wolfgang Bächler
Ausbrechen
Gedichte aus 20 Jahren
Band 5127
Die Erde bebt noch
Frühe Gedichte
1942 bis 1957
Band 9174
Nachtleben
Gedichte. Band 5872

Hans Bender (Hg.)
**In diesem Lande
leben wir**
*Deutsche Gedichte
der Gegenwart*
Band 5006
**Was sind das
für Zeiten**
*Deutschsprachige
Gedichte der 80er Jahre*
Band 9553

Jürgen Born (Hg.)
**Wenn der
Abend kommt**
*Gedichte und Lieder
aus vier Jahrhunderten*
Band 9228

Joseph Brodsky
Gedichte
Band 9232

Charles Bukowski /
Carl Weissner
**Terpentin on
the rocks**
*Die besten Gedichte
aus der amerikanischen
Alternativpresse
1966–1977. Band 5123*

Paul Celan
**Die Niemandsrose /
Sprachgitter**
Gedichte. Band 2223

Das deutsche Gedicht
*Vom Mittelalter bis
zum 20. Jahrhundert*
Band 155

Hilde Domin
Hier
Gedichte
Band 10600

**Doppel-
interpretationen**
*Hilde Domin (Hg.)
Das zeitgenössische
Gedicht. Band 1060*

Fischer Taschenbuch Verlag

Lyrik

Erich Fried
Reich der Steine
Zyklische Gedichte
Fischer

Walter Helmut Fritz
Mit einer Feder
aus den Flügeln
des Ikarus
Ausgewählte Gedichte
Fischer

Ossip Mandelstam
Gedichte
Aus dem Russischen
übertragen von
Paul Celan
Fischer

Odysseas Elytis
To Axion Esti –
Gepriesen sei
Gedichte und
Prosa. Band 5029

Erich Fried
Anfechtungen
Gedichte
Band 10343
Befreiung von
der Flucht
Gedichte und Gegen-
gedichte. Band 5864
Frühe Gedichte
Band 9511
Reich der Steine
Zyklische Gedichte
Band 5959
Warngedichte
Band 2225

Walter Helmut Fritz
Mit einer Feder
aus den Flügeln
des Ikarus
Ausgewählte Gedichte
Band 9266

Yvan und Claire Goll
Traumkraut /
Die Antirose
Gedichte. Band 9590

Jana Halamičková (Hg.)
Die Kinder
dieser Welt
Gedichte aus
zwei Jahrhunderten
Band 10039

Peter Hamm
Der Balken
Gedichte
Band 5314
Die verschwin-
dende Welt
Gedichte
Band 9173

Klaus Hensel
Oktober, Lichtspiel
Gedichte. Band 9509

Stephan Hermlin
Gesammelte
Gedichte
Band 5125

Peter Huchel
Chausseen,
Chausseen
Gedichte. Band 5120

Marie Luise
Kaschnitz
Überallnie
Ausgewählte Gedichte
1928–1965
Band 5820

Michael Krüger
Aus der Ebene
Gedichte. Band 5865
Diderots Katze
Gedichte. Band 2256
Die Dronte
Gedichte. Band 9222

Günter Kunert
Berlin beizeiten
Gedichte
Band 9567
Verlangen nach
Bomarzo
Reisegedichte
Band 5018

Fischer Taschenbuch Verlag

Lyrik

Christoph Meckel
Wildnisse
Gedichte
Fischer

FELIX POLLAK
VOM NUTZEN DES
ZWEIFELS
GEDICHTE
FISCHER

Guntram Vesper
Die Illusion
des Unglücks
Gedichte
Fischer

Fischer Taschenbuch Verlag

fi 145/10 c

Collection S. Fischer

Lothar Baier
Jahresfrist
Erzählung

HERMANN BURGER
DIE ALLMÄHLICHE
VERFERTIGUNG DER
IDEE BEIM SCHREIBEN
FRANKFURTER POETIK-
VORLESUNG

Wolfgang Hilbig
Der Brief
Drei Erzählungen

Lothar Baier
Jahresfrist
Erzählung
Band 2346

Thomas
Beckermann (Hg.)
Reise durch die
Gegenwart
Ein Lesebuch
Band 2351

Herbert Brödl
Silvana
Erzählungen
Band 2312

Hermann Burger
Die allmähliche
Verfertigung der
Idee beim Schreiben
Frankfurter Poetik-
Vorlesung
Band 2348

Karl Corino
Tür-Stürze
Gedichte
Band 2319

Clemens Eich
Aufstehn und gehn
Gedichte
Band 2316
Zwanzig nach drei
Erzählungen
Band 2356

Ria Endres
Am Ende
angekommen
Band 2311

Dieter Forte
Jean Henry
Dunant oder
Die Einführung
der Zivilisation
Ein Schauspiel
Band 2301

Wolfgang Fritz
Zweifelsfälle für
Fortgeschrittene
Roman
Band 2318
Eine ganz
einfache
Geschichte
Band 2331

Wolfgang Hegewald
Das Gegenteil
der Fotografie
Fragmente einer
empfindsamen Reise
Band 2338
Hoffmann, Ich
und Teile
der näheren
Umgebung
Band 2344
Jakob Oberlin
oder die Kunst
der Heimat
Roman. Band 2354
Verabredung
in Rom
Erzählung
Band 2361

Egmont Hesse (Hg.)
Sprache & Antwort
Stimmen und Texte
einer anderen Lite-
ratur aus der DDR
Band 2358

Fischer Taschenbuch Verlag

fi 176/14a

Collection S. Fischer

Gerhard Köpf
Innerfern
Roman

Katja Lange-Müller
Wehleid – wie im Leben
Erzählungen

Hanns-Josef Ortheil
Köder, Beute
und Schatten +++++
Suchbewegungen +++

Wolfgang Hilbig
abwesenheit
gedichte
Band 2308
Der Brief
Drei Erzählungen
Band 2342
die versprengung
gedichte
Band 2350
Die Weiber
Band 2355

Unterm Neomond
Erzählungen
Band 2322

Klaus Hoffer
Der große Potlatsch
Bei den Bieresch 2
Roman
Band 2329

Ulrich Horstmann
Schwedentrunk
Gedichte
Band 2362

Bernd Igel
Das Geschlecht der
Häuser gebar mir
fremde Orte
Gedichte. Band 2363

Jordan/Marquardt/
Woesler
Lyrik – Erlebnis
und Kritik
Band 2359
Lyrik – Blick
über die Grenzen
Band 2336

Peter Stephan Jungk
Rundgang
Roman. Band 2323
Stechpalmenwald
Band 2303

Gerhard Köpf
Innerfern
Roman. Band 2333

Judith Kuckart
Im Spiegel der
Bäche finde ich
mein Bild
nicht mehr
Band 2341

Judith Kuckart/
Jörg Aufenanger
Eine Tanzwut
Das TanzTheater
Skoronel
Band 2364

Dieter Kühn
Der wilde Gesang
der Kaiserin
Elisabeth
Band 2325

Katja Lange-Müller
Wehleid –
wie im Leben
Erzählungen
Band 2347

Otto Marchi
Rückfälle
Roman
Band 2302
Sehschule
Roman
Band 2332

Monika Maron
Flugasche
Roman
Band 2317

Fischer Taschenbuch Verlag

fi 176/14 b

Collection S. Fischer

Fischer Taschenbuch Verlag

fi 176 / 1 c

Anstiftung von Denken und Laune!

LUIGI MALERBA   **Das griechische Feuer**

Ein historischer Roman voll burlesker Erfindungen, eine alte Geschichte, neu erfunden, ein raffinierter Kriminalroman, ein farbensprühendes Feuerwerk! – und wochenlang auf den italienischen Bestsellerlisten: Der spannende Roman führt in den Palast des kaiserlichen Byzanz der Jahrtausendwende. Eine schöne nymphomane Kaiserin, ihre Eunuchen und Liebhaber, der Kaiser und seine Bürokraten und jene furchtbare Geheimwaffe, die ›über das Wasser laufen‹ und feindliche Schiffe vernichten kann, sorgen dafür, daß der Leser nicht mehr loskommt bis zur letzten Seite.

Aus dem Italienischen von Iris Schnebel-Kaschnitz

Quart*buch*. 220 Seiten, DM 32.–

JAVIER TOMEO   **Der Marquis schreibt einen unerhörten Brief**

In diesem Roman versucht ein seit zwanzig Jahren in seinem Schloß vergrabener Marquis mit Hilfe eines unverständlichen Schriftstücks in die Gegenwart zurückzukehren. Ein großes und poetisches Unternehmen, überaus komisch, und geschrieben in einer Sprache von seltener Schönheit.   Aus dem Spanischen von Elke Wehr

SALTO. Rotes Leinen. 96 Seiten mit vielen Illustrationen des Autors. DM 19.80

MATTHIAS KOEPPEL   **Koeppels Tierleben. In Starckdeutsch**

Nach seinem erfolgreichen ersten Buch, *Starckdeutsch*, wendet Koeppel sein vokalkräftiges und konsonantenverstärktes Deutsch auf die Tierwelt an. So wie der Autor selbst zu Stift und Leier greift, nach Laune und ohne Aufsicht durch Linguisten und Malerkollegen, so will das Buch gelesen, gedreht, gewendet, und vor allem nachgeahmt werden.

SALTO. Rotes Leinen. 96 Seiten mit Zeichnungen des Autors. DM 19.80

Schreiben Sie uns eine Postkarte –
wir schicken Ihnen dann unseren Westentaschenalmanach ZWIEBEL:
Verlag Klaus Wagenbach, Ahornstraße 4, 1000 Berlin 30

Wagenbach